ROCHES ET MINÉRAUX

PORTRAITS DU MONDE MINÉRAL

FREDERICK D. ATWOOD

Je dédie ce livre avec reconnaissance à mes parents,
qui ont toujours nourri et encouragé mon amour de la nature,
à Mlle Miriam Dickey, professeur de mon « club d'oiseaux »,
qui m'a appris à trouver partout une foule de choses passionnantes,
ainsi qu'au Créateur, qui fit les roches et minéraux
et nous a permis de les apprécier.

Ce livre a été conçu et produit par
Todtri Productions Limited

Titre original : *Rocks and Minerals- A portrait of the natural world*

Auteur : Frederick D. Atwood

Éditeur : Robert Tod
Directrice éditoriale : Elizabeth Loonan
Conception graphique : Mark Weinberg
Directrice de rédaction : Cynthia Sternau
Chef de projet : Ann Kirby
Iconographie : Edward Douglas
Recherche iconographique : Laura Wyss, Meiers Tambeau
Coordinateur éditorial : Jay Weiser
Photocomposition : Command-O Design

Pour l'édition française
Réalisation : Bookmaker
Coordination éditoriale : Régine Ferrandis
Traduction/adaptation : Frédéric Hitz
Mise en pages : Pierre Chambrin

ISBN 2-7434-1046-9

CRÉDITS PHOTOGRAPHIQUES
Les chiffres renvoient aux pages

Frederick D. Atwood
3, 4, 5, 8-9, 13, 17, 27 (bas), 29, 30, 31 (haut), 32, 38 (haut), 42, 44 (haut et bas), 46 (haut et bas), 47 (haut et bas), 50, 51 (bas), 58, 59, 60 (bas), 61, 62, 63, 64 (bas), 65, 67, 68 (bas), 70

E. R. Degginger
7 (haut et bas), 11 (haut et bas), 12 (haut et bas), 14 (haut et bas), 15, 16 (haut et bas), 18, 19 (haut et bas), 20 (haut et bas), 21, 22 (haut et bas), 23 (haut et bas), 24-26, 27 (haut), 28 (haut et bas), 31 (bas), 33, 34 (haut et bas), 35 (haut et bas), 36, 37 (haut et bas), 38 (bas), 39, 43 (bas), 45, 49 (bas), 51 (haut et centre), 64 (haut), 66 (haut et bas)

Dembinsky Photo Associates
Willard Clay 53
Adam Jones 55
Rod Planck 6, 49 (haut)

Picture Perfect
Graeme Gillies 69
Bill Holden 40-41
Joe Mc Donald 56-57
Scott T. Smith 10, 48, 52 (haut), 68 (haut)

Tom Stack & Associates
John Cancalosi 60 (haut)
David M. Dennis 52 (bas)
Doug Sokell 71
Spencer Swanger 54
Greg Vaughnn 43 (haut)

INTRODUCTION

Ce pont de lave (Galápagos) s'est formé là où la lave en fusion est entrée en contact avec l'eau froide de l'océan ; l'érosion due aux vagues a probablement contribué à sa forme.

À l'âge de huit ans j'étais passionné par les pierres. Je pouvais en trouver partout : dans mon jardin, sur la plage, au bord d'un étang ou au long du chemin de l'école. Au fur et à mesure que je marchais, mes poches s'alourdissaient de nouveaux trésors. Chaque pierre ajoutée à ma collection était pour moi un véritable joyau : schiste orné d'étincelantes paillettes de mica ; pierres «porte-bonheur», tels les galets usés par les vagues et entièrement ceints d'un anneau de quartz ; gneiss aux motifs en bandes ondoyantes comme un nappage de crème glacée ; granit poli par les vagues aux couleurs éclatantes (encore plus éclatantes quand on le lèche) ; pierres qui ressemblaient à des morceaux de chocolat, pierres translucides, pierres qui pouvaient se plier, pierre au goût salé qui pouvaient faire fondre la glace sur le pas de ma porte, pierres plates, lisses et feuilletées que je faisais ricocher sur l'étang, pierres qui, lorsque je les entrechoquais, lançaient des étincelles et sentaient comme les allumettes, pierres capables de rayer le verre, pierres que je pouvais, de mes seules mains nues, réduire en miettes.

Partout où j'allais, je constatais l'usage que nous faisons des pierres : le granit de couleur poivre et sel le long du trottoir de ma rue, le gravier de marbre blanc de l'allée chez le voisin de ma grand-mère, le comptoir bien poli en marbre veiné de serpentine verte à la banque, les diamants étincelants et l'or brillant de la bague de ma grand-mère, et le camée en albâtre sculpté qu'elle portait en broche à l'église. En observant de plus près le trottoir en béton, je constatais qu'il était fait de sable : de la pierre finement broyée. Mon grand-père donnait même des pierres (de petits cailloux) à son perroquet pour l'aider à digérer ses graines. Le tableau noir de l'école était fait d'ardoise et même la craie dont se servait mon professeur n'était qu'une

Le glacier de Nigaardsbreen, en Norvège, qui remplissait autrefois cette vallée l'a creusée en U. La route et les maisons sur la photographie donnent une idée de la taille colossale des glaciers ainsi que de leur extraordinaire capacité à remodeler le paysage et à engendrer des tonnes de sédiments.

pierre. Elle était faite des microscopiques squelettes d'animaux riches en calcium déposés au fond des océans au cours de millions d'années. Moi aussi, j'écrivais avec de la pierre – la mine de plomb de mon crayon était du graphite. Elle était composée de carbone pur tout comme le diamant, mais quelle différence entre ces deux pierres !

« Nous vivons dans un monde vraiment extraordinaire, pensais-je, et les pierres sont extraordinaires. D'où viennent-elles ? me demandais-je, et comment se sont-elles formées ? »

Après quelques années cependant, mon intérêt pour les oiseaux, les insectes et les plantes supplanta ma fascination pour les pierres. Mon attention se déplaça du sol vers la cime des arbres. Ma collection de trésors naturels vint à englober les plumes, les graines et les papillons. Mes lectures se concentrèrent sur le comportement des oiseaux et sur les plantes comestibles. Jusqu'au lycée, une pierre n'était pour moi qu'une pierre. Mais depuis, j'ai eu l'occasion de faire du canoë dans le désert du Chihuahua, fasciné par le spectacle des canyons creusés par le Rio Grande dans la roche sédimentaire fossilifère, déposée au fond d'une mer antique aujourd'hui disparue. J'ai escaladé les flancs grondants de volcans actifs, les yeux irrités et le nez coulant à cause des vapeurs sulfureuses qui

sentaient l'œuf pourri. Je suis allé sur une arête, mur étroit et sculpté par des glaciers dos à dos, le long de la ligne de partage des eaux américaine, admirant les roches polies par le glacier et la vallée creusée en U que je surplombais.

Ces expériences m'ont permis de mieux apprécier la majesté des roches et des minéraux et leur rôle déterminant quant à l'aspect du paysage, la nature du sol et les écosystèmes qui s'y sont développés. Les forces phénoménales et les températures extrêmes qui ont présidé à la formation des roches et des minéraux dans les entrailles de la terre et qui les ont violemment, ou patiemment, entassés en montagnes gigantesques ne peuvent que laisser perplexe. Les millions d'années qu'il a fallu à l'eau, la glace et le vent pour éroder une montagne entière, la transportant grain par grain jusqu'à la mer, ou bien à une rivière pour arracher, broyer, charrier et dissoudre, sur des centaines de mètres de hauteur, la roche sédimentaire, formant un profond canyon, dépassent l'entendement. Je suis toujours surpris lorsque je ramasse un morceau de grès et que je songe que les escargots éteints qui s'y sont fossilisés vivaient dans un océan il y a cinquante millions d'années, là où aujourd'hui on trouve une haute montagne au milieu des terres, à des centaines de kilomètres de la mer. On ne peut que rester humble lorsque l'on songe que le sable de cette pierre est recyclé depuis des milliards d'années, de magma en cristaux de quartz dans du granit ou en veines de quartz dans des rochers au pied d'une montagne, en sable, en grès, en sable de nouveau, en quartzite métamorphique... pour redevenir finalement magma de la croûte terrestre qui s'enfonce sous une plaque pour refaire surface ailleurs et poursuivre ainsi le cycle – les mêmes atomes sous diverses formes et à différents endroits depuis les quatre milliards et demi d'années qu'existe la Terre. Nous n'existerons plus lorsque cette pierre retrouvera son magma d'origine. La prochaine fois, peut-être que certains de ses atomes referont surface lors d'une violente éruption volcanique et flotteront sur l'océan sous forme de pierre ponce.

C'est le Rio Grande qui a creusé le canyon de Santa Elena, dans le parc national de Big Bend (Texas). Plus de trois cents mètres de calcaire se dressent au-dessus des canoéistes qui manœuvrent autour des éboulis en songeant aux millénaires qu'il a fallu pour former ce paysage impressionnant.

IMPORTANCE DES ROCHES ET DES MINÉRAUX

Quasiment tout ce que nous faisons ou utilisons au quotidien dépend de matériaux extraits du sol. L'histoire de la découverte du monde par l'homme et des guerres qu'il a faites montre que celles-ci ont souvent été motivées par la convoitise de ressources minérales stratégiques, qui constituent la richesse d'une nation. Ainsi l'attrait de l'or est-il la principale raison de l'exploration et de la conquête des Amériques par les Européens.

Certains conflits actuels (guerre du golfe Persique et conflits entre peuples autochtones et compagnies pétrolières dans le bassin de l'Amazone) résultent de notre dépendance vis-à-vis du pétrole et d'autres ressources minérales.

Utilisation des roches et des minéraux

Regardez autour de vous et voyez tout ce qui est fait de pierres ou de minéraux extraits du sol. Le papier de ce livre contient essentiellement des fibres végétales, mais probablement aussi du kaolin, du soufre et du baryum (de la barytine). Le film qui a servi à photographier les illustrations utilise de l'argent extrait des minerais d'argentite et de chlorargyrite.

Les métaux extraits de minerais comme l'hématite (fer), la sphalérite (zinc), la bauxite (aluminium), la cuprite (cuivre), la galène (plomb), la nickéline (nickel) et la cassitérite (étain) nous fournissent toutes sortes d'objets métalliques

(boîtes de conserve, voitures, pièces de monnaie, matériaux de construction) et des alliages tels que le laiton, le bronze et l'acier inoxydable. Les matières plastiques omniprésentes, plus utilisées que l'acier, l'aluminium et le cuivre réunis, sont synthétisées à partir de pétrole, autrement dit des restes minéraux de planctons fossiles. On utilise également le pétrole pour fabriquer la rayonne, le dacron ou le nylon que vous portez peut-être sur vous ; ou encore l'essence qui permet à votre voiture de rouler, et plus de cent soixante-quinze autres composés utilisés par l'industrie chimique pour confec-

Les quartz se présentent sous des formes et des couleurs variables, mais des cristaux aussi transparents sont rares. On utilise le quartz hyalin pour fabriquer des lentilles et c'est un composant essentiel des montres, télévisions et appareils radars. Deux morceaux de quartz entrechoqués produisent une étincelle et sentent l'allumette.

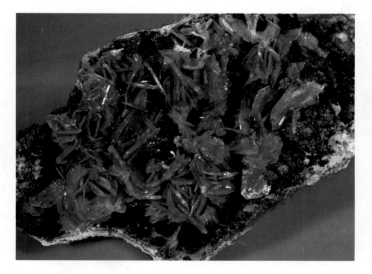

Les plages de galets sont d'excellents endroits pour trouver des pierres superbement arrondies et polies par le ressac. On y trouve du quartz, du porphyre, du basalte et des gneiss mélangés à une grande quantité de granit.

Ces roses de barytine ont des cristaux qui ressemblent à des fleurs. Le baryum, qui en est extrait, est utilisé en médecine pour aider au diagnostic des troubles de la voie digestive. Ce spécimen roumain contient également du réalgar, minerai d'arsenic, un élément toxique.

Page suivante : Les roches qui s'entrechoquent le long des failles sismiques se brisent en blocs anguleux de taille variable. Ils peuvent alors être emprisonnés dans une matrice minérale et se resolidifier comme ce spécimen de brèche du Texas.

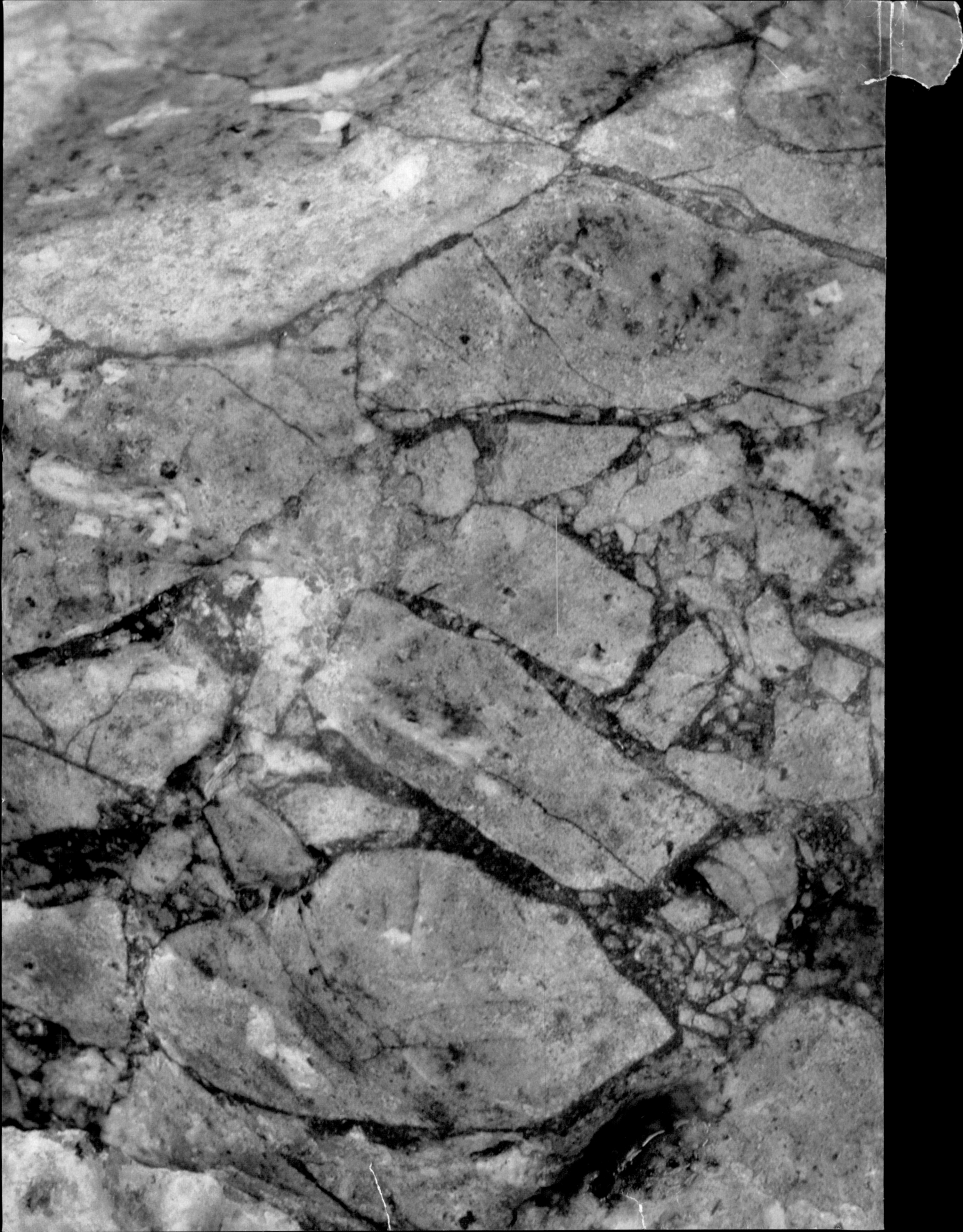

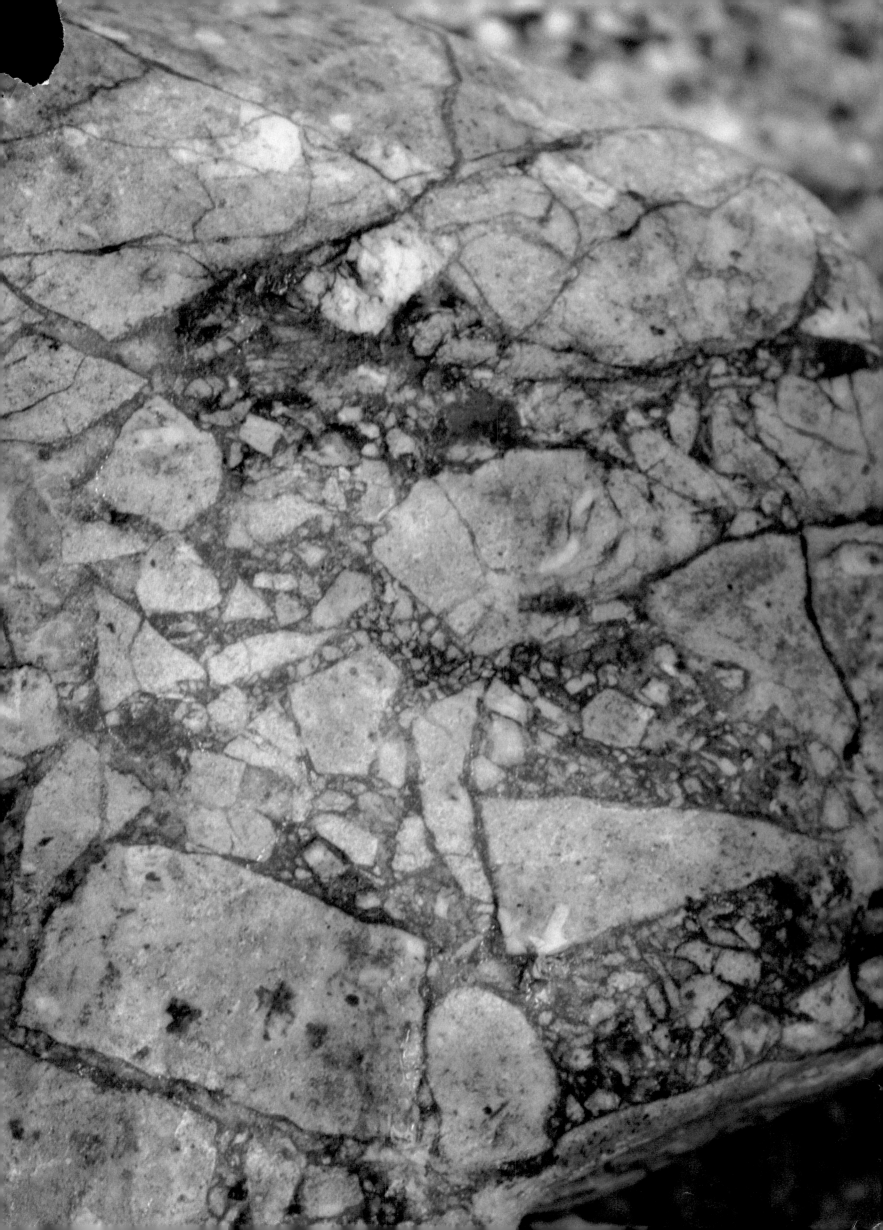

tionner tout ce qui va des cosmétiques au denti-frice et à la moquette. L'électricité, transportée par des câbles en aluminium et des fils de cuivre jusqu'au filament en tungstène (de wolframite) de votre ampoule électrique, a peut-être été pro-duite grâce à des combustibles fossiles (charbon, pétrole) ou grâce à l'énergie nucléaire, qui dépend des minerais d'uranium tels que l'uranite, la pechblende et la carnotite. Les ferti-lisants utilisés dans les jardins contiennent parfois du gypse ou du calcaire pulvérisés pour réduire l'acidité, et de l'apatite ou de la sylvinite pour enrichir en phosphates. Les insecticides ou herbicides utilisés dans les champs contiennent peut-être des extraits de charbon, de l'arsenic, du baryum, du soufre ou du fluor.

Le quartz, le mica, l'argent, le cuivre et le gallium sont des composants essentiels des ordinateurs, télévisions, ou autres appareils électroniques.

Regardez par la fenêtre. La fenêtre elle-même est faite de carbonate de soude, de calcaire et de sable de quartz fondu, riche en silice. Les voi-tures qui vont et viennent comportent peut-être des enjoliveurs de chrome brillant inoxydable, extrait du minerai de chrome (chromite) ; du platine, du rhodium ou du palladium pour la dépollution de l'air dans le pot catalytique ; de l'étain, métal solide et résistant à la corrosion, souvent utilisé pour les châssis ; et du cobalt, du zinc ou du titane dans leur peinture. La route sur laquelle passent des voitures est faite d'une cou-che d'asphalte (dolomie et autres roches mé-

La sphalérite est un minerai de zinc qui sert à fabriquer le laiton, l'acier galvanisé et les piles électriques. Comme elle contient du soufre, elle dégage une odeur d'œuf pourri dans l'acide chlorhydrique.

langées au bitume goudronneux obtenu à partir du charbon ou du pétrole). L'asphalte est probablement étendu sur un lit de gravier de roches ignées concassées, comme le basalte, le gabbro et la diabase, réputés pour leur dureté.

L'avion qui passe dans le ciel peut contenir du titanium (du rutile), léger et thermorésistant ; un alliage de nickel et de niobium (issu du minerai de colombite), qui est très solide, résiste à la cor-rosion et peut supporter les températures élevées des réacteurs d'avion, et du magnésium (de la dolomie et de la magnésite), encore plus léger que l'aluminium. D'autres minéraux métalliques modifient les propriétés des alliages d'acier, comme le vanadium, le manganèse, le molyb-dène et le tungstène.

Ces concrétions calcaires de l'Utah subissent l'érosion provoquée par le climat et par l'acide sécrété par les lichens qui y poussent. Les roches érodées déterminent la nature du sol environnant. Généralement, le calcaire neutralise l'acidité du sol, influant donc sur la végétation présente.

Le graphite, comme le diamant, est du carbone pur ; mais le diamant est le minéral le plus dur, alors que le graphite est l'un des plus tendres. On utilise donc le graphite dans l'encre des stylos, et sa texture onctueuse en fait un excellent lubrifiant sec.

11

On trouve des cristaux tabulaires de gypse en forme de pétales de rose (rose des sables). On trouve aussi le gypse en immenses dépôts (jusqu'à 10 m d'épaisseur), précipités lors de l'évaporation de mers anciennes.

de la bismuthine (Pepto-Bismol) ou du charbon. Le tablier de plomb qui protège vos gonades des rayons X mutagènes lors de radiographies a probablement été fait à partir de minerai de galène. Les rayons X sont produits avec du tungstène (de la wolframite) ou du thulium (de la fluorine). Le platine, le radium et le cobalt sont utilisés en chimiothérapie pour le cancer. Le baryum, qui apparaît nettement aux rayons X, est souvent injecté dans le système digestif pour permettre aux médecins de visualiser et de diagnostiquer cancer ou troubles intestinaux.

Le granit, le calcaire, le grès, le marbre et les gneiss sont les roches les plus fréquemment employées dans la construction. Les granits sont relativement résistants aux intempéries, et leur faible teneur en fer les préserve des taches de rouille. De nombreuses pierres de construction sont polies dans un but décoratif pour faire des dalles, des carrelages, des fondations, des murs et des comptoirs. Les pierres de construction en marbre ou en calcaire contiennent souvent des fossiles si spectaculaires que des universités et des musées américains organisent des visites dans les rues des villes pour y étudier la géologie et la paléontologie !

Les bâtiments en brunite, typiques des villes de l'est des États-Unis, sont faits de grès du triassique, vieux de deux cent trente millions d'années et facilement taillable. L'oxyde de fer qui cimente les grains de sable dans ce type de grès lui confère sa teinte brune et le rend plus

Avez-vous récemment reçu des soins médicaux ? Les instruments coupants du chirurgien sont peut-être faits de tantale métallique (du minerai de tantalite). Un orthopédiste a pu ressouder vos os au moyen d'une vis en titane. Vos médicaments peuvent contenir du soufre ou du mercure ou des composés extraits de la dolomie (lait de magnésie), de l'epsomite (sels d'Epsom),

Depuis que l'homme existe, les roches qui se brisent en arêtes dures et tranchantes servent à fabriquer des outils de pierre. Cette rhyolite volcanique a été taillée en hache il y a plus d'un million d'années. L'obsidienne, le quartz, le silex et le chert étaient les minéraux les plus utilisés par les artisans de la préhistoire.

durable et plus résistant aux intempéries. Les pyramides égyptiennes sont faites de calcaire. Le ciment, le béton et les briques sont faits de roches comme le marbre, le quartz, la dolomie, l'argile schisteuse et le calcaire. On utilise le gypse pour fabriquer du plâtre et des carreaux. Dalles et tuiles sont souvent faites d'ardoise. Certaines structures de bâtiments en vinyle sont rendues résistantes aux intempéries par l'ajout d'étain.

Influence des roches et minéraux sur l'écologie locale

À mesure que les roches sont ramenées en surface par les forces géologiques et usées par les intempéries, elles déterminent le paysage, les mouvements climatiques, la composition des sols et donc les écosystèmes locaux. Ainsi, quelques rares écosystèmes se sont spécialisés pour ne se développer que sur des sols formés de serpentine en déliquescence, riche en magnésium mais pauvre en calcium.

La taille des cristaux de la roche mère, qui se désagrègent chimiquement sous l'effet du climat pour constituer le sol, détermine la texture du sol. Le granit et la rhyolite sont faits des mêmes minéraux, mais la rhyolite est formée par le magma, qui se refroidit plus rapidement en constituant des cristaux plus petits que dans le granit. Ainsi, la rhyolite donne un sol à la texture plus fine que le granit. Il en va de même pour le basalte au grain fin et le gabbro au grain plus gros. Cette différence essentielle entre les roches mères influe sur les systèmes écologiques environnants. En général, les sols à texture fine sont moins perméables à l'eau, contiennent plus de nutriments et moins d'oxygène, et retiennent plus l'humidité que les sols à texture moins fine. Tout cela détermine la diversité des plantes les mieux adaptées au sol.

L'acidité ou l'alcalinité du sol dépend du type de roche dont il est formé. Par exemple, le calcaire donne des sols alcalins au pH supérieur à 7. Le pH du sol influe sur la disponibilité des

On reconnaît aisément la galène à son éclat métallique argenté, son clivage cubique et son aspect compact. Il s'agit d'un minerai de plomb que l'on fond depuis des siècles. Certains historiens pensent qu'une intoxication due aux canalisations d'eau en plomb aurait contribué à la chute de l'Empire romain.

L'orpiment est un minerai d'arsenic qui se forme généralement en veines à basse température ou en croûtes près des sources thermales chaudes. La plupart des minéraux contenant du soufre dégagent une odeur alliacée lorsqu'on les chauffe.

Le mica est l'un des minéraux les plus répandus, et il se présente souvent en petites paillettes argentées dans des roches comme le granit, les gneiss et le schiste. Ce spécimen brésilien de moscovite montre que le mica se présente aussi en paquets de petits feuillets qui ressemblent aux pages d'un livre.

nutriments pour les plantes qui y poussent. Les sols acides (pH faible) sont en général plus pauvres en nitrogène, phosphate, cuivre, calcium, magnésium et potassium que les sols alcalins. Un sol alcalin ou neutre est, en revanche, souvent moins riche en fer et en manganèse. Tous ces nutriments sont essentiels aux végétaux, mais des plantes différentes sont adaptées à des sols différents.

On peut souvent deviner efficacement la présence ou l'absence de calcaire dans les roches constitutives d'une région en y observant les espèces végétales qui y poussent. Le capillaire (*Adiantum*), le sycomore (*Plantanus*), la cenelle (*Ilex decidua*), et le noyer (*Juglans*) poussent sur des terrains neutres à alcalins.

Le sabot rose du cyprès (*Cypripedium acaule*), la fougère des bois (*Woodwardia*), la myrtille (*Vaccinium*), l'arbousier (*Arbutus unedo*) et la sphaigne (*Sphagnum*) sont connus pour prospérer en terrain acide. Le pH du sol est tout aussi déterminant pour l'agriculture. La plupart des cultures poussant mieux sur un terrain au pH neutre, les cultivateurs enrichissent parfois leurs champs en calcaire ou autres minéraux pour en modifier le pH.

La présence de nutriments dépend également du type de roche qui a formé le sol. Le phosphore vient de l'apatite ou d'autres pierres contenant des phosphates. Le potassium résulte de la dégradation du feldspath, du mica et de l'argile. Le magnésium résulte de l'usure par le climat de la hornblende, de la serpentine, de l'olivine et de la biotite. Les principaux minéraux d'où provient le calcium sont la calcite, l'apatite, la dolomie, le gypse et les feldspaths de calcium. La plus grande partie du bore, indispensable au métabolisme des sucres des végétaux, vient de la très jolie tourmaline.

Tout comme la géologie influe sur la santé des végétaux par la teneur en nutriments, elle influe sur celle des animaux qui s'en nourrissent. Les animaux ont besoin de cobalt pour synthétiser la vitamine B12, indispensable à la production des globules rouges du sang. Les premiers colons de la Nouvelle-Angleterre remarquèrent que, dans certaines régions du New Hampshire et du cap Cod, le bétail souffrait d'une mystérieuse maladie. Apparemment, les terres où il paissait provenaient de dépôts granitiques pauvres en cobalt des Montagnes Blanches,

arrachés puis déposés par les glaciers. Ainsi, des milliers d'années plus tard, des animaux souffraient d'anémie car l'herbe qu'ils broutaient ne contenait pas de cobalt. L'herbe peut également être toxique pour le bétail si elle pousse sur un sol contenant trop de molybdène, par exemple.

Aux États-Unis, le bétail de certaines vallées humides du Nevada ou de la Californie, entourées de montagnes au taux de molybdène très élevé, souffre d'intoxication au molybdène. Certains historiens américains attribuent même la défaite de Custer à Little Big Horn, dans le Montana, à des causes d'ordre similaire : il semblerait que les mauvaises performances des chevaux de ses troupes au cours de la bataille étaient dues à une intoxication au sélénium. Les chevaux des Sioux venaient d'une autre région ; leur santé leur aurait donné l'avantage.

La nature de la roche, de surface ou sousjacente, donc la nature du sol, doit être prise en considération par les ingénieurs qui construisent les autoroutes, les systèmes d'égouts et les grands bâtiments. Même les compagnies d'assurances et les organismes bailleurs de fonds utilisent ces informations pour déterminer les montants de leurs primes ou les garanties demandées pour un prêt.

Le soufre est l'un des minéraux les plus employés dans l'industrie chimique. Son point de fusion étant très bas, on le rencontre souvent aux griffons d'évents géothermaux et de sources chaudes. On l'extrait en le faisant fondre par injection d'eau à très haute température.

La millérite est un minerai de nickel qui se présente souvent sous forme de cristaux radiés à l'aspect de cheveux. On utilise le nickel pour fabriquer des aimants, des pièces de monnaie, des fils électriques d'appareils chauffants, et de l'acier résistant à la corrosion.

La fluorine forme des cristaux cubiques, parfois verts ou violets. C'est une source de fluor que l'on ajoute au dentifrice pour prévenir les caries dentaires. On peut également extraire l'yttrium (élément rare utilisé pour fabriquer superconducteurs, lasers et écrans de télévision) de la fluorine.

Des escargots fossilisés dans le grès au sommet de montagnes, très loin de toute mer, attestent des conditions sans cesse changeantes de la Terre.

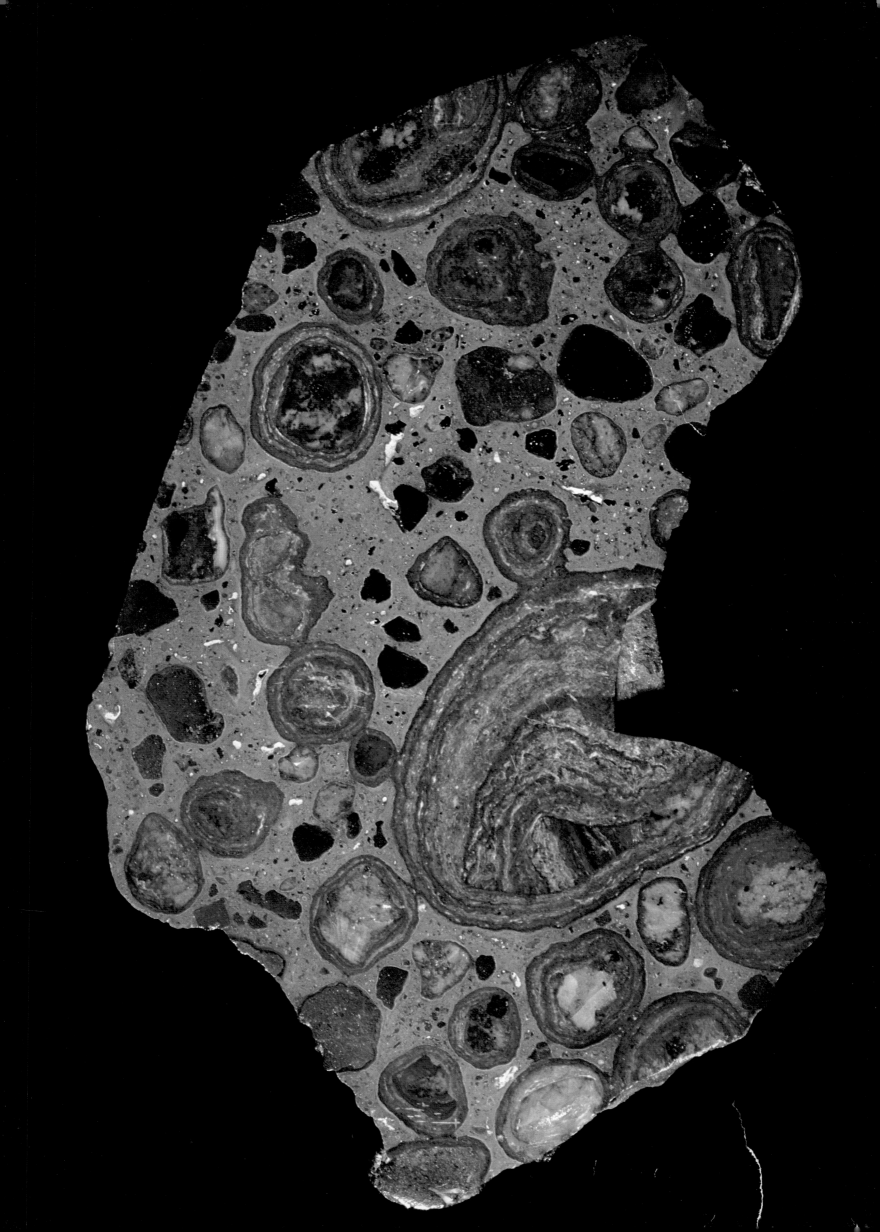

MINÉRAUX

Qu'est-ce qu'un minéral ?

Les atomes de base qui constituent toute la matière s'appellent des éléments. Ces éléments sont organisés de manière spécifique, selon la configuration de leurs électrons. Ils forment les minéraux de base qui sont les briques de toute matière inorganique. On recense près de trois mille minéraux connus, mais la plupart d'entre eux sont plus rares que l'or. Une centaine seulement sont vraiment répandus. Les minéraux sont classés en fonction de leur structure atomique et de leurs propriétés physiques et chimiques. Ces propriétés englobent la forme et le schéma de formation des cristaux, les formes non cristallines qu'ils peuvent admettre (branches, croûtes, grappes ou concrétions réniformes) ; leur réaction à l'acide, l'eau, la chaleur ; leur clivage (plan de fracture), leur conductibilité électrique ; la couleur de la « trace » produite lorsqu'on les frotte sur de la porcelaine non vernie ; la manière dont il réfléchissent la lumière (lustre) ; leur couleur (bien qu'elle soit souvent très variable pour un même minéral) ; leur densité (gravité spécifique) ; et leur dureté.

La dureté d'un minéral est fonction de sa capacité à rayer d'autres minéraux ou objets ou à être rayé par eux. Également appelé « pierre de savon », le talc, pierre très tendre d'une dureté de 1, peut être rayé par l'ongle ou tout autre minéral d'une dureté supérieure à 1. Parce qu'il est tendre, on le sculpte en figurines, objets d'art et ustensiles de cuisine depuis la préhistoire. La calcite, d'une dureté de 3, ne peut être rayée par l'ongle, mais peut l'être par une pièce en cuivre. Les magnifiques cristaux verts ou violets de fluorine, d'une dureté de 4, rayent le cuivre et la calcite, mais sont eux-mêmes rayés par un clou en fer. En raison de sa fragilité, la fluorine n'est que peu utilisée comme gemme. Le verre, d'une dureté de 5, raye l'apatite, roche chimiquement

Le corindon est le minéral le plus dur après le diamant. Le rubis, qui est la variété rouge du corindon, doit sa couleur à d'infimes quantités de chrome. Ce spécimen non taillé vient de Birmanie.

identique à l'os ou aux dents. Mais le feldspath orthoclase, l'un des minéraux les plus fréquents dans le granit, d'une dureté de 6, peut rayer le verre.

Le quartz, composant essentiel du sable, le peut également. Le quartz a une dureté de 7 et peut être rayé par une lime en acier, mais pas par la lame du couteau qui raye l'orthoclase. La merveilleuse topaze, d'une dureté de 8, peut même rayer une lime en acier, mais est rayée par la toile émeri faite avec du corindon, minéral très répandu d'une dureté de 9.

Le rubis, l'émeraude et le saphir sont des formes rares du corindon. On remarquera que les pierres les plus précieuses sont parmi les plus dures. Le plus dur de tous les minéraux est le diamant ; sa beauté étincelante et sa dureté de 10 lui font mériter son nom grec d'« invincible ».

La labradorite, variété colorée de feldspath, est souvent utilisée comme gemme. Elle peut être bleue ou verte et contenir des inclusions qui réfléchissent la lumière en une scintillation colorée (schillérisation).

Ce merveilleux spécimen de roche sédimentaire (Afrique du Sud) est une coupe transversale d'incrustations sphériques d'hématite accumulées en couches autour de galets. L'hématite, du mot grec pour « sang », est un minerai de fer qui donne une poussière rouge sang.

Ce minerai de zinc, composé de cléiophane, de sphalérite et de willémite ressemble à une pierre ordinaire à la lumière du jour...

... mais sous les ultraviolets, ce minéral devient fluorescent, transformant les ultraviolets invisibles en lumière visible sous forme de couleurs éclatantes.

Quelques propriétés singulières des minéraux

Les minéraux ont une incroyable variété de propriétés intéressantes, dont certaines sont tout à fait surprenantes. Les minerais d'uranium sont radioactifs. La magnétite, minerai de fer, est magnétique. La franklinite, la sidérite et l'hématite le deviennent lorsqu'elles sont chauffées. Certains minéraux changent de couleur quand on les chauffe : la topaze jaune devient rose ; le zircon passe du brun au bleu ; le bleu-vert de l'aigue-marine devient bleu profond.

Certains minéraux réagissent merveilleusement à la lumière. La fluorine, la cérusite, et plusieurs minerais de zinc et d'uranium sont fluorescents et se parent de vert, d'orange et de pourpre psychédéliques sous les ultraviolets. Pendant la Seconde Guerre mondiale, la fluorescence de la scheelite permit aux amateurs comme aux professionnels de localiser ce très important minerai de tungstène, métal qui joua un rôle essentiel dans l'effort de guerre. D'autres minéraux, comme la willémite, minerai de zinc, sont phosphorescents et émettent une étrange lueur verte plusieurs minutes encore après extinction de la lumière. Les minéraux phosphorescents sont utilisés sur les aiguilles ou cadrans de montres. Le quartz, le silex, la sphalérite et la pyrite produisent tous des éclairs de lumière lorsqu'on les frappe avec un objet dur. La bornite, minerai de fer, est aussi appelée « minerai paon » pour ses superbes iridescences bleues, rouges et violettes. Trois variétés de feldspaths – l'albite, l'adulaire et la labradorite – sont parfois considérées comme gemmes lorsqu'elles contiennent de petites inclusions en forme de bâtonnets d'autres minéraux, comme l'oxyde de fer, qui les ornent de toute une palette de couleurs (schillérisation). De petits cristaux de rutile dans certaines variétés de quartz rose et de saphir étoilé provoquent une réfraction en étoile de la lumière. De tels spécimens sont très recherchés. La cryolite, cristal incolore que l'on rencontre parfois dans les veines de pegmatite, semble disparaître comme par magie lorsqu'on la plonge dans l'eau car elle réfléchit la lumière de la même manière que l'eau. Les objets vus à travers les cristaux transparents de la variété de calcite appelée « spath d'Islande » apparaissent

La willémite et la calcite sont fluorescentes sous les ultraviolets. La fluorescence est un phénomène rare en minéralogie. La willémite est aussi phosphorescente : elle continue de luire dans l'obscurité après l'extinction d'une source de lumière normale.

La chalcopyrite, un double minerai de cuivre et de fer, contient souvent de l'argent et de l'or. Ce spécimen terni d'Afrique du Sud a une iridescence aux couleurs d'arc-en-ciel. On peut trouver la chalcopyrite avec la bornite, également appelée minerai-paon.

Le jaspe est une variété de calcédoine. Sa couleur rouge vif et ses motifs complexes en font une pierre d'ornement très recherchée. Cette formation de Californie est dite jaspe orbiculaire.

La chrysocolle, comme beaucoup d'autres minerais de cuivre, est d'un bleu éclatant et est souvent taillée et polie à des fins ornementales. Ce spécimen montre clairement comment la solution hydrothermale riche en cuivre a pénétré les anfractuosités d'une autre pierre sous l'action de la température et de la pression très fortes.

Les cristaux jumelés de staurotide qui forment un angle droit sont parfois appelés « pierres de croix » et vendus comme porte-bonheur. La staurotide ne se forme que très profondément dans la croûte terrestre, dans des conditions de température et de pression extrêmes, dans les gneiss et le schiste métamorphiques.

Page suivante :
On trouve souvent les pépites d'or associées au quartz dans des veines qui se sont formées par l'infiltration de solutions hydrothermales dans les fentes et interstices des couches rocheuses supérieures sous l'action du métamorphisme.

doubles en raison de la double réfraction de la lumière par la calcite.

Certains minéraux sont solubles dans l'eau et ont un goût caractéristique : l'halite à un goût salé car il s'agit du même composé que le sel de table ; le borax à un goût aigre-doux et la sylvine un goût amer. La chalcanthite, minerai de cuivre d'un bleu somptueux, est extrêmement soluble dans l'eau et a un goût à la fois doux et métallique (attention, ne pas essayer, il s'agit d'un poison). L'odorat peut également servir à l'identification des minéraux : ceux qui renferment de l'arsenic dégagent une odeur alliacée lorsqu'ils sont chauffés, ceux qui contiennent du soufre, comme la galène (minerai de plomb), la sphalérite (minerai de zinc) et la lazurite, sentent l'œuf pourri lorsqu'ils sont mis en présence d'acide. La bauxite et la gypsite sentent l'argile humide lorsqu'on souffle dessus ou qu'on les humecte.

Certains minéraux sont réactifs à l'air libre. La nitratine est déliquescente et, en présence d'air humide, s'agrège à l'eau pour former de petites perles. La marcassite, une variété de pyrite de fer qui forme souvent des cristaux à l'aspect de plumes de dentelle, devient friable et s'émiette en une poudre blanche si elle reste exposée à l'air libre sur l'étagère du collectionneur.

Le toucher aussi est important pour l'identification des pierres. On appelle parfois le talc «pierre de savon» en raison de la sensation douce

Le spath d'Islande est une variété cristalline et transparente de la calcite, forme minérale de carbonate de calcium qui constitue aussi le calcaire. Le spath d'Islande provoque une double réfraction de la lumière (les objets vus à travers ce minéral apparaissent doubles).

et savonneuse qu'il laisse sous le doigt. Le graphite et la molybdénite ont une texture grasse. Le graphite est pour cette raison utilisé comme lubrifiant pour machines. L'asbeste de chrysotile forme de longues fibres dont on fabrique des tissus ininflammables. Toute manipulation est cependant à proscrire en raison des risques cancérigènes, surtout en cas d'inhalation des fibres microscopiques. Le mica est composé de fins feuillets superposés qui, détachés en lamelles transparentes, se plient et se détendent brusquement comme du plastique. Le quartz comme l'obsidienne (verre volcanique) donnent au toucher l'impression de verre. La galène, minerai de plomb métallique et brillant, sept fois et demi plus dense que l'eau, est compacte au toucher.

Chaque année, des milliers de météorites d'au moins 120 g bombardent la Terre, mais seules quelques-unes sont localisées et étudiées. Ceci est une météorite métallique composée de nickel et de fer. Elle vient probablement du cœur d'un astéroïde.

L'asbeste de chrysotile a une texture fibreuse. Ses fibres ne brûlent pas, et ne conduisent que très lentement la chaleur. Pour cette raison on en fabrique des tissus ininflammables. Cependant, l'inhalation de particules microscopiques d'asbeste peut provoquer un cancer des poumons.

Les grenats existent en différentes couleurs ; des grenats grossulaires comme ceux-ci peuvent être jaunes, bruns, roses, verts ou incolores. Ils se forment par métamorphisme de contact lorsque le magma transforme l'argile schisteuse ou le liais en hornfel.

La crocoïte, minéral rare, se forme par métamorphisme lorsque des solutions hydrothermales chaudes s'infiltrent dans d'autres roches, dissolvant le plomb et les autres minéraux qui se recristallisent alors en refroidissant. Ce spécimen vient de Tasmanie.

Le bois pétrifié est souvent de l'agate, une variété de calcédoine, silicate minéral proche du quartz. Ce spécimen a conservé la structure du pin de l'île de Norfolk, aujourd'hui éteint, qui vivait dans l'Arizona il y a 200 millions d'années : Araucarioxylon arizonicum.

Ces cristaux de calcite se trouvent sur une falaise le long du Rio Grande (Texas). Cette formation de calcite est appelée «spath dent-de-chien». Calcaire et calcite sont faits de carbonate de calcium, qui compose aussi la craie, le corail et les coquillages. Le carbonate de calcium est effervescent dans l'acide.

Le quartz dit «cheveux-de-Vénus» est incrusté de fibres de rutile. Ce dernier est une source de titane, métal léger et résistant à la corrosion, utilisé dans l'aérospatiale, les instruments chirurgicaux, les vis de chirurgie osseuse et les peintures.

La pyrolusite, un minerai de manganèse, forme souvent des motifs de dentelle comme des feuilles de fougère que les débutants prennent parfois pour des fossiles. Ce spécimen se trouve sur la paroi d'un canyon du Texas.

Composition chimique des minéraux

La composition chimique des minéraux détermine toutes les propriétés énumérées plus haut. Bien qu'il existe quatre-vingt-douze éléments naturels de base, huit d'entre eux seulement composent 98 pour 100 du poids des roches et minéraux de la croûte terrestre.

Les éléments les plus fréquents sont l'oxygène (47 pour 100) et le silicium (28 pour 100), qui se combinent pour former le groupe de minéraux le plus répandu – les silicates –, parmi lesquels on trouve le quartz, l'olivine, le pyroxène, l'amphibole, le mica et le feldspath. Les silicates sont durs, transparents ou translucides, et de densité moyenne.

Vient ensuite le métal le plus abondant de la croûte terrestre : l'aluminium (8 pour 100). Même si on ne le rencontre jamais à l'état pur dans la nature, il est présent dans la bauxite (son principal minerai), le corindon, le mica, le feldspath, et l'argile formée à partir des roches contenant ces minéraux. Le fer est le quatrième élément le plus abondant dans les roches et minéraux. Il constitue environ 5 pour 100 du poids de la croûte terrestre mais il est le principal constituant du noyau de la Terre.

On trouve le fer sous forme de minerais, dont l'hématite (le principal) et la pyrite de fer, également appelée «or-des-fous». Tous deux sont des minéraux denses et métalliques, mais on rencontre aussi le fer dans des minerais non

Le bois pétrifié résulte de la pénétration d'une solution riche en silice. Les molécules organiques du bois sont peu à peu remplacées par les minéraux de la solution, en en préservant si bien les moindres détails de structure que l'on peut voir les anneaux de croissance d'un if de Douglas vieux de 12 millions d'années.

La pyrite, ou «or-des-fous», a l'éclat de l'or mais n'en contient pas. Ce minerai de fer est le sulfure le plus répandu. On le trouve souvent associé à la sphalérite et à la galène. Comme elles, il dégage une odeur d'œuf pourri dans l'acide.

métalliques dont la biotite (mica noir), les amphiboles et l'olivine.

Bien que l'élément calcium ne soit présent que dans moins de 4 pour 100 de la croûte terrestre, c'est l'un des ingrédients principaux de minéraux aussi abondants que la dolomie, le gypse, l'apatite et la calcite. La calcite est le constituant minéral principal du calcaire et du marbre. Elle compose également le « squelette » du corail, la coquille des mollusques, et les stalactites et stalagmites des grottes calcaires. Dans l'acide, les minéraux contenant du calcaire produisent une effervescence et se dissolvent.

Les éléments restants comprennent trois minéraux particulièrement abondants (sodium, potassium et magnésium, qui constituent chacun moins de 4 pour 100 de la croûte terrestre), ainsi qu'une grande variété d'autres dont beaucoup sont rares, extrêmement utiles et difficiles à trouver ou à extraire. C'est par exemple le cas du germanium, qu'on utilise dans les postes de télévision et les ordinateurs, à la fois dans les circuits électroniques (transistors et diodes) et les phosphores lumineux de l'écran. On l'utilise également pour les appareils à infrarouges qui permettent de voir dans l'obscurité, et pour les fibres optiques. Mais comment obtient-on le germanium ? D'abord, les résidus provenant du raffinage du zinc ou des cendres de charbon sont chauffés en présence d'air et de chlore. Celui-ci se combine au germanium pour former du dichlorure de germanium. Puis on le mélange à l'eau, dont

De l'extérieur, une géode ressemble à n'importe quelle pierre, mais elle recèle un véritable trésor de bandes colorées et de cristaux étincelants.

Cette opale du Mexique doit son étonnant jeu de lumière non pas à la couleur des minéraux eux-mêmes, mais à la manière dont les minuscules sphères de silice qu'elle contient réfléchissent et décomposent la lumière. L'opale se forme à partir de l'eau riche en silice qui s'accumule dans les roches sédimentaires ou dans les alvéoles des roches volcaniques.

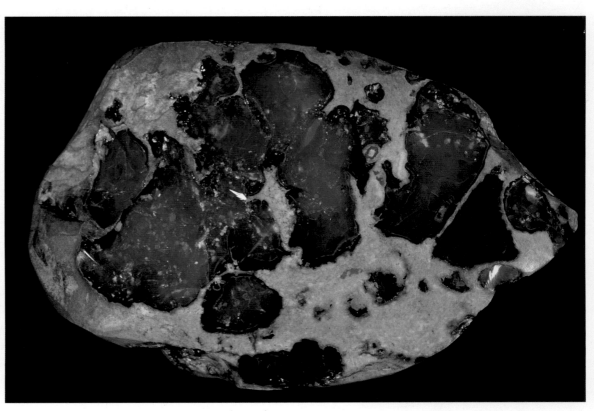

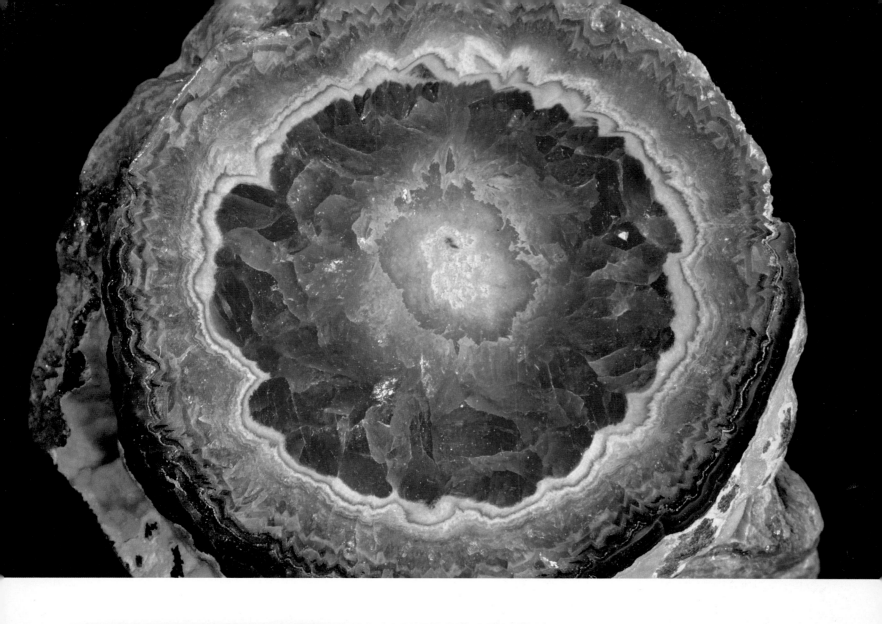

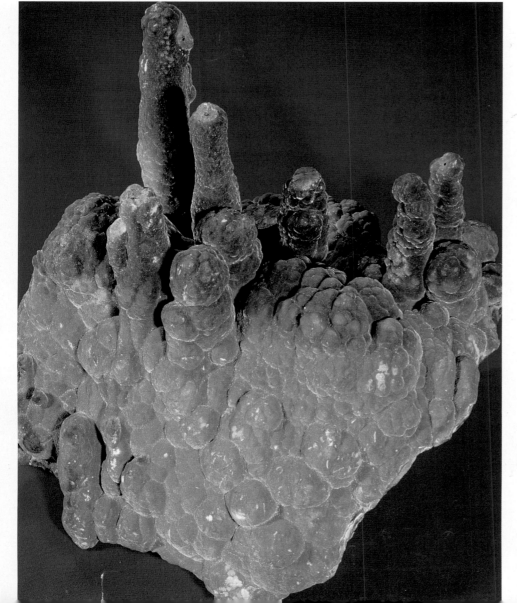

Taillée et polie, cette coupe transversale d'une stalactite de rhodochrosite d'Argentine découvre de merveilleux motifs en anneaux. La rhodochrosite est un minerai de manganèse, métal qui sert à solidifier les alliages d'acier utilisés dans les machines, outils, charrues, essieux et rails de chemin de fer.

La malachite, souvent taillée et polie en gemme, se trouve sous plusieurs formes : en masses botryoïdes, concrétionnées ou zonées, ou en agrégats rayonnés de cristaux prismatiques. Ce groupe de stalactites en malachite vert émeraude vient d'une mine de cuivre de l'Arizona.

l'oxygène remplace le chlore en donnant du dioxyde de germanium. Il faut alors éliminer l'oxygène. C'est le rôle de l'hydrogène qui se combine à l'oxygène pour former de l'eau, ne laissant ainsi plus que du germanium en quantités infinitésimales, et contenant encore des impuretés. On le purifie alors grâce à un processus coûteux, pénible et compliqué qui consiste à le fondre et à le recristalliser plusieurs fois.

Parfois, les éléments les plus rares sont précisément ceux qui confèrent le plus de beauté à un minéral. Le quartz, par exemple, est un cristal typiquement transparent, mais lorsqu'il contient du manganèse et du titane, on obtient une variété rose appelée quartz rose ; s'il contient du fer et du manganèse, c'est de l'améthyste violette ; quand il contient du radium ou est exposé à la radioactivité, il est brun foncé et s'appelle quartz enfumé. La couleur des cristaux est due au chrome pour le grenat vert et les rubis rouges, au manganèse pour le béryl rose, au magnésium pour le grenat rouge, au cuivre pour la malachite verte et la dioptase bleue, ou au fer et au titane pour les saphirs bleus, jaunes ou rouges. Le célèbre diamant Hope doit sa couleur bleue éclatante aux traces de bore minéral qu'il contient. Pour chaque million d'atomes de carbone contenu dans ce diamant, il n'y a qu'un seul atome de bore.

Le quartz est essentiellement composé de silice et d'oxygène, mais ce quartz améthyste doit sa belle couleur violette à la présence de petites quantités de fer et de manganèse dans la matrice de silicates.

Des impuretés de titane et de manganèse donnent au quartz rose sa teinte rouge pastèque.

L'observation au microscope d'une fine lamelle de péridot exposée à la lumière polarisée montre que cette roche est faite d'un mélange complexe de minéraux. En général, le péridot, roche ignée d'intrusion, contient de l'olivine verte et de la hornblende noire, mais aussi parfois de petits morceaux colorés de spinelle, de pyroxène et de grenat.

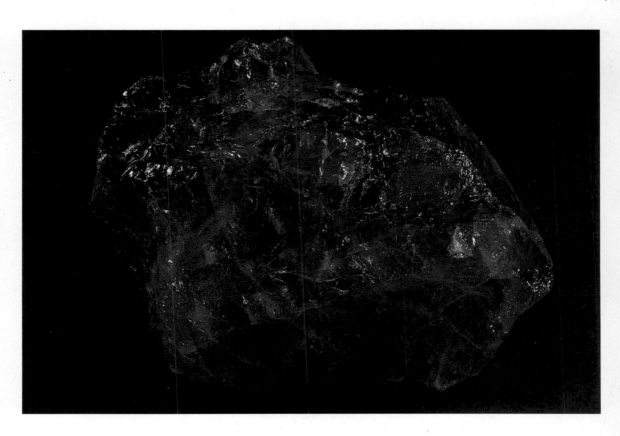

Cette pointe de harpon inuit est faite de silex, silicate minéral proche du quartz.

De nombreux minéraux se présentent sous cette forme botryoïde, qui ressemble à une grappe de raisin. Ce spécimen est de la goethite, minerai de fer qui doit son nom au poète et philosophe allemand Johann Wolfgang von Goethe, également minéralogiste amateur.

Agate dentelle du Mexique aux superbes motifs.

ROCHES

Qu'est-ce qu'une roche ?

Les roches sont des mélanges de divers minéraux sous forme de cristaux comprimés et amalgamés en une structure compacte par une sorte de ciment intergranulaire. La diversité des roches est due à la diversité des conditions géologiques, notamment de température et de pression. La taille des cristaux (grain) est révélatrice du temps qu'il a fallu pour que la roche refroidisse et se solidifie, puisque les cristaux les plus gros résultent d'un refroidissement plus lent. Le granit, avec ses gros cristaux, refroidit plus vite que le basalte, aux cristaux minuscules. La présence de certains minéraux dans une roche peut être révélatrice des conditions de température et de pression qui ont présidé à sa formation, puisque certains minéraux (olivine, pyroxène) naissent de la cristallisation de roches fondues (magma) à des températures plus élevées que d'autres minéraux, comme le quartz.

Les trois principaux groupes de roches sont les roches ignées, les roches métamorphiques et les roches sédimentaires. Les roches ignées se forment lors du refroidissement du magma proche de la surface, ou lorsqu'elles sont éjectées au cours d'éruptions volcaniques. Les roches métamorphiques naissent lorsque la chaleur du magma altère la composition chimique de roches déjà formées, ou les fond et les reforme. Les roches sédimentaires se forment généralement lorsque l'érosion dépose des fragments de roches ou des minéraux dissous sur une épaisseur telle que la pression finit par les comprimer et les cimenter.

Roches ignées d'extrusion

Quel spectacle extraordinaire que la vision de paquets de magma projetés comme des feux d'artifice par la gueule d'un volcan, ou dévalant le versant de celui-ci en un torrent rouge et

Pendant environ 2 milliards d'années, des sédiments se sont déposés dans cette ancienne mer de l'ouest des États-Unis. Ils furent peu à peu érodés par le fleuve Colorado et des siècles d'érosion ont donné les spectaculaires panoramas du Grand Canyon. L'érosion se poursuit aujourd'hui au rythme de 15 cm environ tous les mille ans.

visqueux qui explose en nuages de vapeurs en atteignant l'océan. Et comme il est terrifiant d'entendre les grondements sourds d'un volcan et de voir son épais nuage de cendres grises monter peu à peu pour s'élever au-dessus du sommet, se laisser emporter par les vents et tout recouvrir comme un épais manteau de neige : arbres, maisons, automobiles et tout ce qui n'a pu fuir à temps. Une seule éruption peut déposer assez de cendres et de débris pour enterrer une ville entière. Ce fut le cas pour celle du Vésuve qui, en l'an 79 de notre ère, recouvrit entièrement la ville romaine de Pompéi. À Hawaii, on a chronométré des flots de lave s'écoulant à plus de cinquante-huit kilomètres à l'heure, déversés par le volcan au rythme de deux cent soixante-quinze mètres cubes par seconde à une température excédant les 1 500 °C. La plupart des processus géologiques sont si lents et progressifs qu'ils passent inaperçus. Au cours de millions d'années, les glaciers broient, les sédiments se déposent, les plaques continentales glissent et fondent sous les plaques océaniques, les montagnes s'élèvent à mesure que les plaques tectoniques se chevauchent imperceptiblement. Mais la formation des roches ignées d'extrusion pyroclastiques se produit lors d'une explosion cataclysmique telle que ces roches ne ressemblent à aucune autre.

La pierre ponce, projetée en l'air par le volcan, refroidit si vite qu'elle emprisonne des bulles de gaz et d'air dans sa structure poreuse à l'éclat vitreux. Voilà pourquoi c'est la seule roche qui flotte, dérivant au gré des courants océaniques sur des milliers de kilomètres.

Parfois, de fines gouttelettes de magma en éruption forment, en refroidissant rapidement, de longs filaments de verre brun verdâtre, ressemblant à des touffes de cheveux, qu'on appelle «cheveux-de-Pélée».

L'obsidienne, verre volcanique noir et vitreux, se forme lorsque de la lave riche en silice refroidit trop rapidement pour que des cristaux aient le temps de se constituer. Dès la préhistoire, on chérissait cette pierre car il était aisé de la tailler et de la sculpter en outils tranchants pour chasser ou découper. Cette roche apparaît noire et luisante lorsqu'elle est en bloc mais transparente lorsque l'on en détache une fine lamelle.

La pierre ponce et l'obsidienne sont deux variétés de rhyolite. Le magma rhyolitique a la même composition chimique que le granit et est plus visqueux que les laves basaltiques et andé-

Le granit est une roche ignée d'intrusion issue du magma profond de la couche terrestre. Ses cristaux relativement gros attestent d'un refroidissement lent. On distingue sur cette photo le quartz (gris vitreux), le feldspath de potassium (rose) et la hornblende (noire).

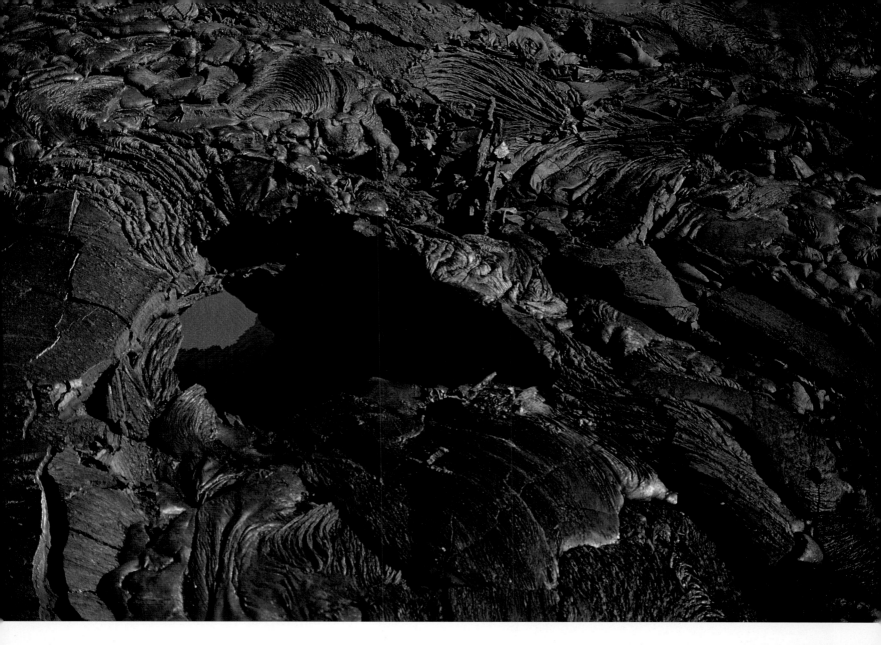

À mesure que la lave basaltique fluide se refroidit, sa surface visqueuse se plisse en formant des cordes ou se fragmente en blocs dentelés de lave aa. Il arrive qu'un tunnel de lave aux parois épaisses se forme. Sur cette photo, on peut voir la lave s'écouler à travers le tunnel.

L'obsidienne, également appelée verre volcanique, se forme lorsque de la lave riche en silice refroidit trop rapidement pour que des cristaux puissent se constituer. Parce qu'on peut facilement en détacher des éclats coupants comme le verre, les hommes préhistoriques en faisaient des couteaux, des pointes de flèches et des haches.

sitiques, formées elles aussi dans les volcans. Pour cette raison, les laves rhyolitiques ont tendance à se refroidir et à former un bouchon dans le cratère. La progression du magma est alors interrompue jusqu'à ce que la pression provoque une violente explosion qui décapite la montagne. Parfois, des blocs de lave propulsés dans l'air se refroidissent et durcissent en formes enroulées sur elles-mêmes sur environ un mètre de long. Certaines «bombes» volcaniques peuvent produire des cratères en heurtant le sol !

Les éruptions produisent d'énormes quantités de cendres très fines qui peuvent rester en suspension dans l'air, portées par les vents pendant des semaines, provoquant de superbes couchers de soleil sur toute la planète. L'éruption du mont Pinatubo aux Philippines en 1991 fut ainsi à l'origine de couchers de soleil spectaculaires dans l'est des États-Unis. Lors d'éruptions successives, de plus en plus de cendres et de débris sont rejetés, se déposent et s'agrègent sous le poids des couches supérieures, formant la roche appelée tuf dont les dépôts sont souvent stratifiés, chaque couche correspondant à une éruption.

Ces dépôts s'érodent plus rapidement que le bouchon rhyolitique plus compact qui obstruait peut-être le cratère. Ce bouchon peut demeurer longtemps après que le tuf a disparu. C'est le cas pour les volcans d'Auvergne.

Le basalte est la roche ignée d'extrusion la plus répandue. On le trouve dans les grandes coulées de lave qui couvrent des milliers de kilomètres carrés, souvent accumulé sur des centaines de mètres de profondeur. Les îles hawaiiennes, par exemple, sont le résultat de coulées successives de lave basaltique. Le Mauna Kea est la plus

Des colonnes de basalte, comme celles des chutes Latourell situées dans les gorges de la rivière Columbia en Oregon, se forment lorsqu'un refroidissement rapide fracture le basalte en colonnes hexagonales.
La couleur jaune est due à des lichens.
Le sentier donne une idée de la taille de ces colonnes.

Les Indiens Anasazi ont tiré parti de la friabilité de ces falaises de tuf en creusant leurs habitations troglodytiques (Monument national de Bandelier, Nouveau-Mexique). Le tuf est issu de la cendre volcanique.

La lave basaltique brûlante jaillit des entrailles du volcan Kilauea (Hawaii), produisant des cendres, des bombes volcaniques et des flots rouges de lave qui, en se refroidissant, forment une croûte noire ou une peau visqueuse.

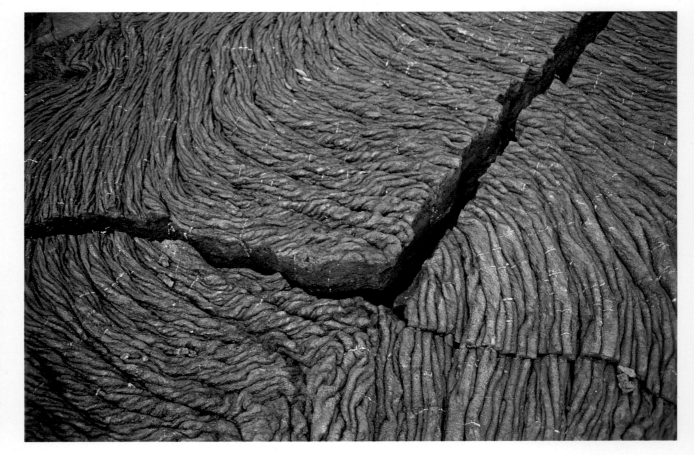

La lave pahoéhoé se forme lorsque la surface d'une lave fluide se refroidit en une pâte visqueuse et peu fluide qui se plisse pour donner cette texture en cordes avant de se durcir en croûte.

Vue depuis l'intérieur d'un tunnel de lave (îles Galápagos de l'Équateur). Ce tunnel mesure plus d'un kilomètre de longueur et est suffisamment large pour permettre le passage de plusieurs personnes côte à côte.

Ces lions de mer prennent le soleil sur une formation de tuf dans les îles Galápagos. Le tuf est issu de dépôts de cendres volcaniques – on distingue nettement les différentes strates formées par des éruptions successives.

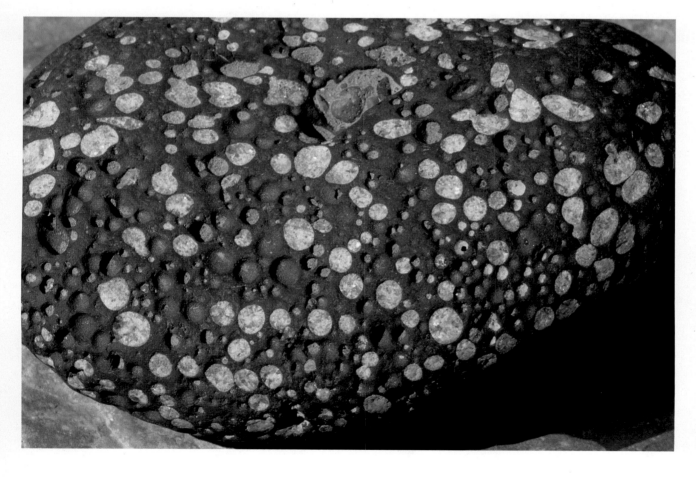

Quand le basalte se refroidit, sa surface est souvent piquée de billes et d'alvéoles. Celles-ci peuvent ensuite se remplir de dépôts cristallins comme la calcite de ce spécimen de basalte amygdaloïde.

Les batholites sont de vastes intrusions de granit qui forment l'épine dorsale de nombreuses montagnes. À mesure que les roches plus tendres qui les entourent s'érodent, de grandes formations comme la Montagne de Granit du Grand Bassin américain apparaissent.

haute montagne de Hawaii. Si l'on considère que sa base se trouve à plus de six mille mètres de profondeur dans l'océan et son sommet à quatre mille deux cent huit mètres au-dessus du niveau de la mer, on peut le considérer comme la plus haute montagne du monde.

À mesure que la lave basaltique progresse, le dessus se refroidit. La roche fluidifiée s'écoule en entraînant la couche supérieure selon l'un ou l'autre de deux schémas possibles. La lave la plus fluide forme généralement une magnifique croûte plissée en cordes. La lave plus visqueuse forme une croûte plus épaisse, qui se fragmente en blocs dentelés et tranchants.

Des dizaines d'années plus tard, ces blocs, appelés *aa*, sont toujours capables de déchiqueter la chaussure du randonneur distrait. Il arrive que la surface de la lave se solidifie en formant un tube à travers lequel s'écoule la lave en fusion. L'éruption terminée, la lave s'écoule hors du tube en laissant parfois un tunnel de plusieurs kilo-

mètres de longueur, suffisamment haut et large pour permettre le passage de plusieurs personnes côte à côte.

La lave basaltique de surface durcit souvent en emprisonnant des poches de gaz qui la font ressembler à un gâteau brûlé. Cette variété vésiculaire de basalte est appelée scories. Plus tard, après avoir été recouvertes d'autres couches, ces alvéoles peuvent se remplir de superbes dépôts de cuivre, d'agate, de calcite, ou d'un minéral du groupe zéolite, aux délicats cristaux en bouquets radiés. Ces scories contenant des minéraux sont appelées basalte amygdaloïde.

Les volcans dégagent également des gaz riches en minéraux, surtout en soufre. C'est le dioxyde de soufre contenu dans leurs fumerolles qui dégage une odeur d'œuf pourri et irrite les yeux. Les roches environnantes sont souvent enveloppées d'une croûte de soufre jaune. On y trouve également du cinabre (minerai de mercure) et de la stibnite (minerai d'antimoine).

Roches ignées d'intrusion

Quand le magma cristallise et durcit avant d'atteindre la surface terrestre, il forme des roches ignées d'intrusion, également appelées roches plutoniques (du dieu grec des Enfers). Le magma plutonique comprimé par en dessous peut s'infiltrer entre des couches de roches ou dans des fissures, formant des sillons horizontaux ou des dykes verticaux ou angulaires de granit ou de pegmatite. Le magma peut aussi soulever les couches rocheuses supérieures pour former des dômes montagneux. Ce type de formation ignée, souvent en granit, s'appelle un batholite. Les batholites peuvent se former plusieurs kilomètres sous terre et s'étendre sur des centaines de kilomètres, servant de fondations à toute une chaîne de montagnes. Normalement, le magma d'intrusion refroidit plus vite que le magma d'extrusion. La structure de ces roches consiste donc plutôt en gros cristaux, facilement reconnaissables et très différents des grains fins du basalte, de la rhyolite ou de l'obsidienne vitreuse non cristalline.

La plus connue des roches ignées d'intrusion est le granit. Il a de gros cristaux d'environ cinq millimètres de long, aisément identifiables. Le granit est l'une des dernières roches à se former lors du refroidissement du magma. Ses cristaux proviennent donc de minéraux formés à plus basse température, bien après le processus de cristallisation d'autres roches ignées comme le gabbro et le péridot. Les grains rose pâle et blanc laiteux du granit sont du feldspath, qui constitue environ 60 pour 100 d'un granit typique. Les grains gris (environ 30 pour 100) sont du quartz. Les paillettes brillantes, argentées ou noires sont du mica. Les grains noirs et durs sont de la hornblende. Le granit est rouge quand il contient du fer sous forme de paillettes d'hématite. Le graphite granitique contient d'intéressants motifs en zigzag faits de cristaux de quartz gris, qui ressemblent à une écriture gravée sur un fond de feldspath crémeux. Ces motifs se forment lors

Lorsque du magma plutonique pénètre les failles et fractures de fondations rocheuses et refroidit, il forme des sillons horizontaux et des dykes verticaux ou d'angle de composition minérale différente de la roche environnante.

Le cinabre est le minerai de mercure le plus courant. Le mercure a un point d'ébullition peu élevé. Il se trouve souvent aux griffons de sources chaudes et aux évents de vapeur où la température baisse suffisamment pour permettre sa condensation. Le mercure liquide est si dense que le fer peut flotter à sa surface.

du refroidissement simultané du quartz et du feldspath.

L'une des premières roches ignées d'intrusion à se former est le gabbro. Ses gros grains témoignent d'un lent refroidissement, à l'instar du granit, mais sa couleur est plus sombre puisqu'il ne contient pas de quartz mais d'autres minéraux de couleur foncée comme l'olivine, le pyroxène et l'augite. Ces minéraux cristallisent à plus forte température que ceux qui forment le granit. Souvent les couches les plus profondes de gabbro sont riches en fer (hématite ou magnétite), en chrome (chromite) ou en nickel (nickéline). Parce que ces derniers cristallisent à température élevée et sont plus denses, ils se déposent sur le fond de la chambre magmatique avant de se solidifier. Ces minéraux forment souvent d'importants gisements miniers très largement exploités.

La pegmatite a la même composition chimique que le granit mais contient un nombre impressionnant de gros cristaux bien formés qui dépassent souvent les dix centimètres. On a d'ailleurs trouvé, dans des gisements de pegmatite du Sud-Dakota, aux États-Unis, des cristaux de spodumène de plus d'un kilomètre de long et pesant plus de quatre-vingts tonnes. Ces gisements sont l'endroit idéal pour trouver des gemmes aussi splendides et rares que le béryl, la tourmaline, l'opale, la topaze et le zircon. On extrait aussi des pegmatites certains minéraux à usage industriel : le corindon, utilisé

L'une des gemmes les plus recherchées est l'émeraude, variété verte de béryl, que l'on rencontre dans la pegmatite et certaines roches métamorphiques. Les plus chères ont un aspect velouté et une couleur homogène.

Le saphir est une variété de corindon. Cette gemme peut être de différentes couleurs : bleue, rose, jaune, verte, violette et même orange.

Les stromatolites sont parmi les plus vieux fossiles connus (plus d'un milliard d'années). Des cyanobactéries australiennes vivent toujours et forment des amas évoquant des choux comme ceux fossilisés ci-contre, originaires des Rocheuses du Montana. Ces bactéries fabriquent du calcaire en sécrétant une carapace protectrice.

À mesure que le magma refroidit à très grande profondeur, de relativement gros cristaux en blocs de feldspath se forment dans la masse en fusion. Puis le magma monte rapidement vers la surface et forme une matrice de cristaux plus petits en refroidissant plus rapidement. On appelle porphyres de telles roches.

comme abrasif ; le spodumène et la lépidolite, d'où l'on extrait le lithium (piles de pacemaker, hélices dans l'aérospatiale, certaines préparations pharmaceutiques, et synthèse de la vitamine A) ; et d'autres minéraux très rares comme l'yttrium (lasers, écrans de télévision couleurs), le lanthane (pots catalytiques) et le thulium (source de rayons X). Des minerais métallifères sont souvent présents dans les pegmatites : cassitérite pour l'étain, manganite pour le manganèse et hématite pour le fer.

Comment se forme la pegmatite ? À mesure que le magma refroidit, de plus en plus de minéraux cristallisent, laissant une solution aqueuse et gazeuse de minéraux au-dessus du magma cristallisé. Le tout finit par cristalliser en pegmatite, dont la forme dépend de la place disponible (en forme de lentille, de table, de pipe ou de branches irrégulières), sur parfois plusieurs kilomètres de longueur. Les dépôts les plus communs sont néanmoins plus petits : trente à trois cents mètres de long pour un à trente mètres de large.

Les porphyres sont des roches ignées identifiables par la taille variable de leurs cristaux plutôt que par leur composition minérale. Ils peuvent être d'intrusion ou d'extrusion, mais sont tous formés de la même manière. Alors que le magma refroidit à très grande profondeur, des cristaux de feldspath, de quartz ou de biotite (mica noir) se forment en blocs relativement gros (phénocristaux). Si le magma remonte subitement vers

Dépôts de tufeau exposés pendant la baisse des eaux du lac Pyramid au Nevada. Le tufeau est issu de la précipitation du carbonate de calcium lors de l'évaporation d'eaux riches en limon. Parfois, des animaux et des plantes sont conservés dans le tufeau, qui peut les enfouir en quelques mois.

Les plus beaux spécimens d'insectes fossiles se trouvent dans l'ambre minéral, résine végétale fossilisée après avoir englué des insectes, les protégeant de la décomposition et préservant les moindres détails de leur structure. Ces fourmis, vieilles de 24 à 54 millions d'années, sont très voisines des fourmis actuelles.

la surface, les autres minéraux cristallisent rapidement en une matrice au grain plus fin qui emprisonne ces phénocristaux. La brèche et les conglomérats sont d'autres roches comprenant de gros blocs pris dans une texture plus fine. Mais tous deux se distinguent aisément des porphyres grâce à la forme de ces blocs. Le conglomérat renferme des galets arrondis, érodés par l'eau qui les a longtemps charriés avant de les déposer dans la boue ou le sable où ils ont été conservés. La brèche contient des morceaux anguleux de tailles et de formes variables, car elle est faite de fragments resolidifiés projetés en l'air lors d'une éruption volcanique, ou détachés de falaises par l'effet du gel, ou encore arrachés le long des failles sismiques lors de tremblements de terre provoqués par le chevauchement de deux plaques.

Veines hydrothermales

L'eau est un composant volatil du magma. Elle bout en s'élevant sous forme de vapeur brûlante soumise à une énorme pression. À mesure qu'elle traverse la croûte, elle se charge de plus en plus des minéraux contenus dans les roches qu'elle a dissoutes, et sa température et sa pression retombent. Elle finit par rencontrer les eaux froides de surface qui s'infiltrent à travers la roche jusqu'à un ou deux kilomètres de profondeur. Ces conditions provoquent la précipitation en cristaux des minéraux les moins solubles dans les fissures, les cavités et les petits pores de la roche. On parlera de « veine » pour les cristaux déposés dans les fentes et de « poche » pour ceux déposés dans des cavités. Les veines peuvent mesurer de quelques millimètres à des dizaines de mètres de largeur et jusqu'à plusieurs kilomètres de longueur. Bien que le principal composant minéral en soit le quartz, on exploite souvent ces veines et poches pour leur concentration en or, argent, minerais métallifères, gemmes et autres minéraux d'importance industrielle, surtout là où l'élévation d'une montagne et l'érosion les ont exposés à la surface du sol.

Lorsque des solutions minérales hydrothermales sortent de terre en geysers ou en sources chaudes, leur refroidissement rapide forme des dépôts minéraux. La source chaude du Mammouth (parc national de Yellowstone, États-Unis) est entourée, sur plus d'un kilomètre carré et demi, de travertin dissous à partir de roches calcaires et redéposé au rythme de deux tonnes par jour.

Chacun de ces minéraux est déposé dans un ordre qui dépend de sa solubilité relative sous certaines conditions de température et de pression. On trouve les dépôts de fer et de sphalérite (zinc) dans les zones les plus chaudes et ceux de cinabre (mercure), soufre et stibnite (antimoine) dans les zones les plus fraîches, y compris les sources minérales chaudes, où la solution minérale bouillonnante atteint la surface.

Roches sédimentaires

Quand les roches sont exposées en surface, même les plus dures d'entre elles s'érodent grain à grain, au fil de millions d'années. Il y a environ deux cent cinquante millions d'années, les Appalaches de l'est des États-Unis avaient probablement la taille de la chaîne de l'Himalaya que nous connaissons. Leurs plus hauts sommets, en comparaison avec l'Himalaya ou les Rocheuses, semblent aujourd'hui des collines.

Au cours des millénaires, la pluie, au pH légèrement acide, a dissous les carbonates et autres minéraux présents dans les roches. La végétation (des lichens), qui sécrète un acide pour ronger la roche et s'assurer un point d'ancrage, a également contribué à ce phénomène. Le vent, la pluie et la glace ont investi les moindres anfractuosités. Les dépressions formées par ce type d'érosion chimique ont ramené en surface les minéraux les plus durs, comme le quartz, en formant du sable. Comme l'eau augmente de volume en gelant, chaque hiver, avec son cycle quasi quotidien de gel et de dégel, elle a largement contribué à l'érosion.

L'argile, composée de particules minérales riches en aluminium au grain très fin (feldspath et mica), résulte de l´érosion de roches comme le granit, la phyllite et le schiste. La pluie et l'eau de la fonte des glaciers ont charrié ces particules d'argile et de sable jusque dans les torrents, puis les fleuves comme le Potomac et le Shenandoah. Elles ont servi d'abrasif à ces puissants fleuves pour user les roches exposées et finir en couches sédimentaires dans la mer.

Dans les falaises d'argile et de grès de la baie de Chesapeake, à l'est des États-Unis, on peut obser-

Page suivante : L'aspect rugueux de ces tours de grès est dû à une érosion différente selon la dureté de la couche de sédiments. De hauts talus en pente s'accumulent au pied des montagnes à mesure que le gel, la pluie et le vent arrachent des blocs de roche aux falaises.

Les grains de sable de quartz sont relativement résistants à l'érosion, au contraire de la majorité des minéraux qui se dégradent facilement en argile plus finement grenue ou se dissolvent en solution. Ces grains de quartz sont emportés et déposés par le vent et l'eau. Le grès rouge doit sa couleur rouille à l'oxyde de fer.

Un ruisseau s'est frayé un chemin dans le grès relativement résistant d'une région aride et peu soumise aux intempéries. Il a fini par sculpter ce merveilleux canyon de l'Arizona. C'est l'érosion due aux intempéries qui élargit les canyons qu'une rivière a commencé à affouiller.

ver l'empilement de strates faites des particules venues des Appalaches. Ces particules ont été déposées il y a dix à vingt millions d'années dans une mer aujourd'hui disparue. Tous les poissons et coquillages qui peuplaient cette mer ont été enfouis dans ces sédiments. Ces derniers se sont accumulés, et la couche de sable, d'argile et de restes animaux s'est transformée en roche sédimentaire, rendue compacte sous le poids des couches supérieures entassées sur des centaines de mètres. Elle a finalement été cimentée par les minéraux dissous dans les fluides intergranulaires. On peut voir les os, les dents et les coquilles de ces animaux éteints dans les différentes couches des falaises. On peut également les trouver sur de nombreuses plages de la baie de Chesapeake. Ce même processus s'est répété un nombre incalculable de fois partout sur la planète. Il s'était d'ailleurs déjà produit au moins une fois auparavant dans les Appalaches : une partie de la roche qui s'est soulevée pour former ces montagnes était pleine de trilobites fossiles enfouis dans les sédiments d'une mer encore plus ancienne d'il y a trois cent soixante-quinze millions d'années. Aujourd'hui, on trouve encore ces fossiles le long de routes creusées dans les roches les plus anciennes de la base des Appalaches.

Ces phoques du Pacifique se sont hissés pour prendre le soleil sur une formation de grès, dans l'Oregon, où apparaissent nettement les différentes strates et couches transversales sédimentaires.

Des dépôts fossilifères de palourdes (Isocardia) forment des arcs de cercle dans les falaises de la baie de Chesapeake (est des États-Unis) et de ses affluents, telle la rivière Mattaponi en Virginie. Ils se déposèrent il y a 15 millions d'années environ au fond d'une ancienne mer.

Un drame sous-marin s'est pétrifié dans une formation de grès dans la Green River du Wyoming (États-Unis). Un poisson **Diplomystus** était en train d'avaler un poisson *Priscacara*, il y a 45 millions d'années environ, lorsqu'une catastrophe inconnue les a tués et enfouis dans les sédiments.

Les trilobites, comme ces **Homotelus bromidensis** *conservés dans de la vase en Oklahoma (États-Unis) depuis 435 à 500 millions d'années, sont aujourd'hui éteints.*

Les sédiments qui se déposent dans les étendues d'eau conservent les plantes, les animaux ou les traces laissées par les animaux en les fossilisant. Ci-contre, conservée dans le grès, l'empreinte d'un animal inconnu qui se promenait sur ces plaines sablonneuses il y a 500 millions d'années. On a appelé cet animal mystérieux **Climactichnites.**

Ainsi, une catégorie de roches sédimentaires, souvent riche en fossiles, est née de dépôts de sable et d'argile, parfois comprimés à 50 pour 100 de leur volume original, et soudés grâce à une sorte de ciment intergranulaire comme la silice, l'oxyde de fer ou la calcite. Il s'agit des grès, des liais et des argiles schisteuses. Certains calcaires, ceux qui sont riches en coraux ou coquillages fossiles, ont été formés ainsi. Certains autres sont d'origine plus chimique, surtout dans les régions tropicales aux eaux chaudes. Le carbonate de calcium dissous (calcite), formé par l'érosion chimique de roches terrestres ou par des coquillages, coraux, algues ou animaux microscopiques, peut s'accumuler en couches autour d'un morceau de coquillage ou d'un grain de sable pour former de petites sphères qui se déposent et deviennent du calcaire oolithique. Cette solution peut également s'infiltrer dans des sédiments argileux pour former des marnes calcaires. Ainsi, de spectaculaires « œuvres d'art » se forment dans les grottes et crevasses où l'eau filtre à travers le calcaire, dissolvant et redéposant la calcite : stalactites, stalagmites, « chutes » de travertin, branches dentelées d'aragonite et cristaux du très justement nommé feldspath dent-de-chien.

D'autres roches sédimentaires (comme la craie) sont faites de sédiments provenant uniquement de restes organiques. La craie se forme dans les dépôts de coquilles de calcite d'organismes microscopiques, de la famille des amibes, qui se sont accumulés au fond de l'océan au cours des millénaires. L'opale, le chert et le silex peuvent s'être formés dans de tels dépôts (éponges ou diatomées microscopiques par exemple) dont la coquille contient de la silice (minéral qui ressemble à du verre) au lieu de calcite.

Les combustibles fossiles (pétrole, gaz naturel et charbon) sont également issus d'organismes préhistoriques. Pour cela, ils ne sont généralement pas considérés comme de véritables minéraux. Le pétrole et le gaz naturel se sont formés lorsque du plancton microscopique s'est déposé dans le sable et la vase de baies calmes et peu profondes, il y a dix à vingt millions d'années. C'est probablement entre 100 et 200 °C, dans des conditions d'anaérobiose et de pression très élevée, qu'ils se sont transformés pour prendre leur aspect actuel (hydrocarbures organiques). Lorsque plus tard ces dépôts ont été soulevés et plissés, l'eau ou la pression a fait monter les hydrocarbures par les pores des roches et ils se sont accumulés dans des poches ou des failles, juste en dessous d'une couche convexe de roche moins perméable, située dans la partie supérieure d'un plissement.

Vus de quelque mille mètres d'altitude, ces limons rouges des Rocheuses (parc national du Glacier, dans le Montana) prouvent qu'autrefois il y avait là une étendue d'eau calme qui s'est asséchée, formant dans la vase des fissures qui se sont ensuite remplies de sédiments plus clairs.

On peut voir, le long de la ligne de partage des eaux à Gunsight Pass (parc national du Glacier), des couches de limons rouges. Elles ont été pliées et plissées par les forces géologiques colossales mais lentes qui ont érigé les sols boueux et plats en hauts pics montagneux.

Le charbon est composé de plantes qui vivaient il y a près de trois cent cinquante millions d'années. Ces plantes furent enfouies dans des marécages, dans des conditions d'anaérobiose comme celles qui existent dans le marais d'Oke-fenokee, en Géorgie (sud des États-Unis), qui empêchèrent leur décomposition. Le niveau de la mer s'éleva et les sédiments de sable et de vase s'empilèrent sur les marécages. Pression et température élevées expulsèrent l'eau et les éléments chimiques volatils contenus dans les plantes, pour ne laisser que du charbon riche en carbone. Au cours des millénaires, l'alternance marécage-mer s'est souvent répétée, formant des couches de grès, d'argile schisteuse et de charbon. Plus la température et la pression étaient élevées, plus le taux de carbone du charbon est important. Le charbon bitumineux est la variété la plus répandue, mais il est plus impur et plus tendre que le charbon d'anthracite, qui en brûlant produit bien moins de dioxyde de soufre polluant. Pendant la révolution industrielle, les magnifiques détails ciselés de sculptures et de statues en Europe commencèrent à s'éroder et à se détériorer. Le dioxyde de soufre produit lors de la combustion du charbon et du pétrole se combinait à l'eau de l'air pour former de l'acide capable de dissoudre les minéraux faits de calcite, tel le calcaire utilisé pour sculpter ces statues.

La dernière catégorie de roches sédimentaires est le groupe des évaporites. Elles se forment là où l'évaporation d'eaux riches en minéraux laisse un dépôt minéral. Les vastes étendues des plaines de sel d'évaporite témoignent de la présence de mers disparues. Certains dépôts d'halite (sel gemme) peuvent atteindre quatre cents mètres de profondeur et couvrir des milliers de kilomètres carrés. De telles accumulations se sont sans doute formées suite au remplissage et à l'évaporation répétés de ces mers intérieures. L'apatite, le borax, la dolomie, l'epsomite et le gypse (qui ont tous de multiples usages industriels) sont d'autres formes d'évaporite.

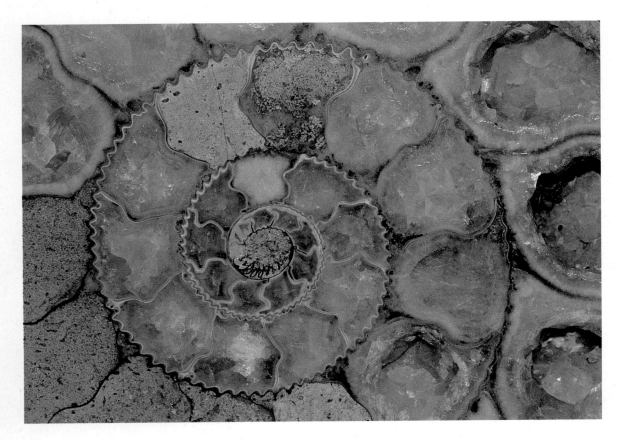

De toutes les roches
métamorphiques,
les gneiss sont
celles qui se
forment aux
températures et
pressions les plus
hautes et qui
affichent le degré
de métamorphisme
le plus élevé.
Les cristaux sont
en général plus
gros et plus
reconnaissables
que dans le schiste,
comme dans ce
spécimen de gneiss
de hornblende.

Les gneiss de biotite
sont une des trois
variétés de gneiss.
La biotite est du
mica noir.
Les alignements
en bandes
des roches
métamorphiques
sont
perpendiculaires à
la pression subie.

Les roches métamorphiques

Metamorphosis singifie transformation en grec. Les roches métamorphiques sont des roches qui ont été transformées par la température extrême du magma qui les a pénétrées, ou par la forte pression associée à la formation de montagnes, ou encore par une solution minérale ou gazeuse à haute température qui s'est infiltrée dans leurs pores. Alors que les roches sont encore solides ou légèrement ramollies, les grains minéraux sont réorganisés en bandes ou en couches. Des cristaux peuvent apparaître et la composition chimique des minéraux peut changer. Altérées par la chaleur du magma, les roches métamorphiques forment des auréoles d'une cinquantaine de mètres de diamètre autour de petits batholites ignés, des bandes métamorphiques étroites le long de sillons et de dykes ignés, et d'énormes masses couvrant des centaines de kilomètres carrés autour du cœur des montagnes. Les caractéristiques et le type d'une roche métamorphique sont déterminés par les conditions de température et de pression qui ont présidé à sa formation et par le type de roche dont elle est formée. Autour de 150 °C et à environ dix kilomètres sous terre, les minéraux de l'argile schisteuse sont forcés de s'aligner en couches perpendiculaires à la force qu'ils subissent. Ce phénomène métamorphise certaines argiles schisteuses en ardoise. L'ardoise qui se fend très facilement le long de ces lignes est beaucoup utilisée pour des dalles, des tuiles ou des tableaux noirs. Un métamorphisme de basse température et de basse pression transformera d'autres formes d'argile

Le basalte vert igné a été métamorphisé en une roche ardoisière, riche en minéraux verts comme la chlorite et l'épidote. Elle est souvent traversée de fines veines de quartz ou de calcite, comme dans ce spécimen vieux de 600 millions d'années des Blue Ridge Mountains de Virginie (États-Unis).

Le métamorphisme transforme le grès en quartzite. Souvent les motifs en bandes produits lors de la sédimentation sont encore visibles, comme dans ces rochers de quartzite. Le grès se fracturant en général le long du ciment intergranulaire, il est souvent grenu au toucher, alors que la quartzite, qui se fracture dans le grain lui-même, est plus douce.

Dans ce gros plan de micaschiste, on constate la finesse des cristaux et la quasi-absence de motifs en bandes du schiste. Les paillettes argentées sont du mica de moscovite, les paillettes noires du mica de biotite. Le micaschiste contient parfois de petites quantités de quartz, de feldspath, de grenat et de chlorite verdâtre.

schisteuse en phyllite, qui doit son lustre soyeux à des petits grains de mica étincelants. La phyllite a parfois des reflets verdâtres dus à la chlorite.

Dans les zones où la température et la pression sont basses ou moyennes, l'argile schisteuse se métamorphise en schiste. Les variétés de schistes sont classées selon les minéraux les plus abondants qu'ils contiennent. Le schiste de grenat-mica peut avoir de gros grenats lie-de-vin incrustés dans une matrice argentée étincelante de mica vert ou noir. Les grenats se forment mieux à des températures comprises entre 250 et 450 °C. Le schiste de cyanite-staurotide se constitue à des températures encore plus élevées (jusqu'à 700°), dix à quinze kilomètres sous terre, près du centre d'une chaîne de montagnes. La cyanite forme souvent de magnifiques cristaux bleu ciel perpendiculaires aux forces métamorphiques. La staurotide constitue quelquefois un cristal noir en forme de croix appelé « pierre-de-croix », parfois vendu comme porte-bonheur.

L'éclogite et les gneiss se forment aux températures et pressions les plus élevées de métamorphisme. Le gneiss est probablement l'un des principaux constituants de la couche terrestre inférieure. Il a normalement des motifs en bandes et, comme le schiste, on l'identifie d'abord par ses constituants minéraux principaux et par le type de roche dont il est formé. On le distingue du schiste grâce à ses bandes généralement plus nettes (constituées lorsque la pression a provoqué la cristallisation des minéraux en bandes parallèles) et à l'absence de « schistosité » (cassures à bords irréguliers et ondulés typiques du schiste).

Lorsque du calcaire et de la dolomie se métamorphisent, ils donnent du marbre. Plus la température et la pression sont élevées pendant le métamorphisme, plus les cristaux sont grands. Le marbre contient souvent de superbes motifs enroulés dus à des impuretés. Les roches ignées métamorphisées deviennent des gneiss, de l'amphibole et de la serpentine. Le grès se métamorphise en quartzite. La pression métamorphise le charbon bitumineux en anthracite (augmentant sa teneur en carbone), et les températures élevées en graphite. Graphite et diamant contiennent tous deux 100 pour 100 de carbone, mais se trouvent aux extrémités opposées de l'échelle de dureté. Cela vient de l'organisation des atomes de carbone. Dans le graphite, chaque atome est lié à trois autres sur un même plan, formant des feuillets de carbone qui glissent aisément les uns sur les autres, d'où son utilisation comme lubrifiant sec. Dans le diamant,

chaque atome est lié à quatre autres, y compris au-dessus et en dessous, donnant une structure cristalline solide et fixe.

Les roches métamorphiques peuvent aussi être modifiées par l'injection de gaz et de solutions aqueuses minérales très chaudes provenant d'intrusions ignées. À mesure que ces solutions s'infiltrent dans la roche, certains minéraux sont remplacés par d'autres, de nouveaux cristaux se forment et la composition chimique de la roche se modifie. On les appelle dépôts hydrothermaux de remplacement. On y trouve des minerais de cuivre, d'étain, de zinc, de plomb et de fer, ainsi que des gemmes comme le grenat, la topaze, la tourmaline et le saphir. C'est également de cette manière que se forme le bois pétrifié. Une solution silicieuse chaude remplace les molécules de bois une à une par de la silice, conservant parfaitement le grain du bois, ses anneaux de croissance et les galeries creusées par les insectes !

Le calcaire se métamorphise en marbre. Ce marbre brut contient aussi des enroulements de serpentine et, taillé et poli, il fait une très jolie pierre d'ornement.

Conclusion

Où serions-nous sans les roches et les minéraux ? Ils nous procurent la matière première pour fabriquer presque tous les objets que nous utilisons. Ils nous fournissent l'énergie, déterminent le type de sol et l'écologie locale. Ils aident les agriculteurs à faire pousser la nourriture que nous consommons. Ils nous renseignent sur l'histoire de la Terre. Leur beauté spectaculaire nous éblouit et inspire nos cœurs.

Mais en récoltant et en traitant ces minéraux, nous avons tendance à endommager l'environnement. D'énormes superficies ont été excavées pour en extraire des minéraux. Les eaux de rejet et les sous-produits toxiques qui résultent de la fusion et du raffinage polluent notre environnement. Les minéraux ne sont pas une ressource inépuisable, et la plupart d'entre eux sont de plus en plus difficiles à trouver et à extraire. Le pétrole est tellement crucial pour l'industrie chimique et plastique que certains se demandent s'il est vraiment raisonnable de le brûler comme combustible. Beaucoup de pays ont mis en œuvre une politique visant à encourager le recyclage, limiter la pollution et réhabiliter les anciens sites miniers en écosystèmes sains. Pourtant, nous gaspillons des quantités énormes de ressources et provoquons une pollution massive en enterrant ou en incinérant nos ordures.

Il s'agit de faire le maximum afin d'économiser, réutiliser et recycler : ainsi nous pourrons préserver nos précieuses ressources minérales.

Le charbon est issu de dépôts de plantes qui sont enfouies sous les sédiments, dans des marécages, où elle ne peuvent se décomposer rapidement. Les couches de charbon sont d'excellents endroits où trouver des plantes fossiles comme ces fougères communes, vieilles de 300 millions d'années.

Cet échantillon de gneiss plissé montre que les motifs en bandes sont souvent plus nets dans les gneiss que dans le schiste.

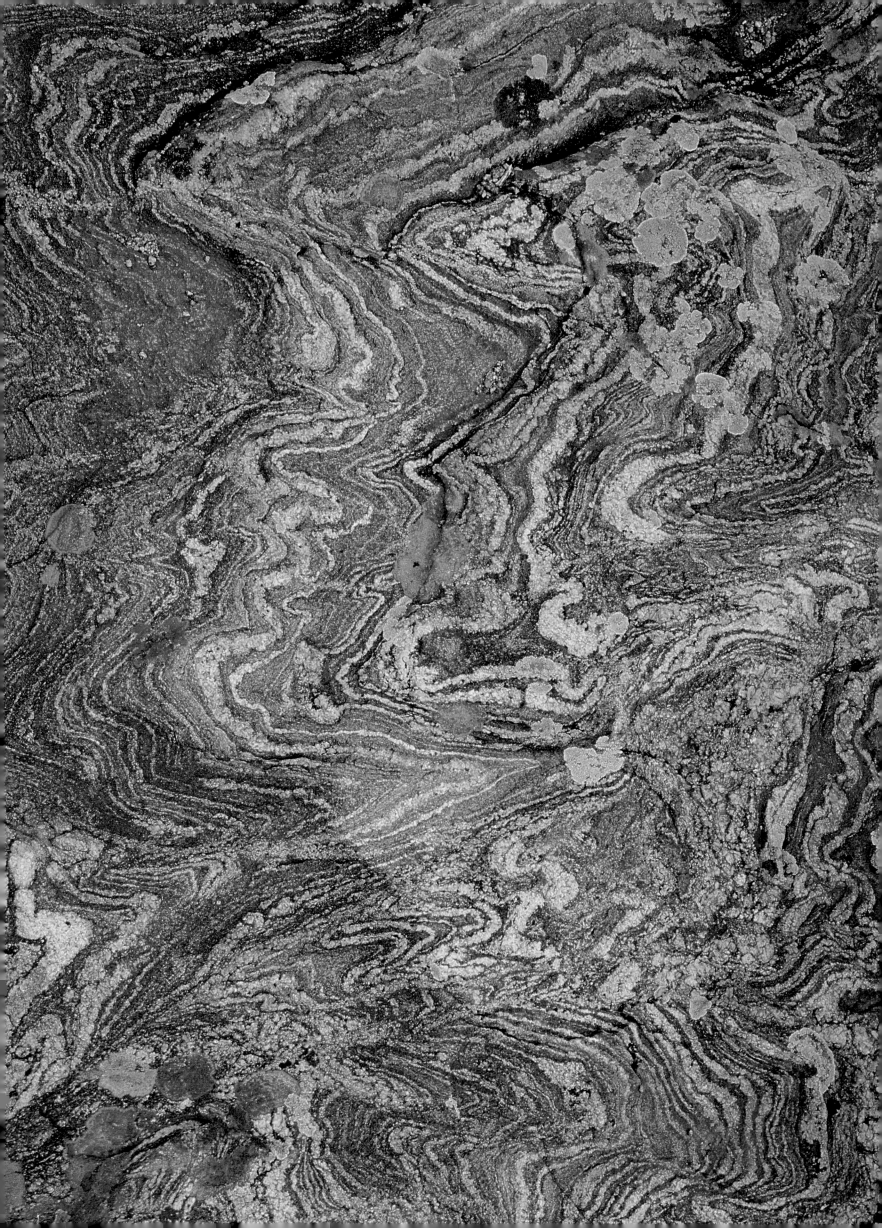

INDEX

Les numéros de page en *italique gras* renvoient aux légendes des photographies